The Wonderful World of Sazae-san

The Wonderful World of Sazae-san

対訳：サザエさん

②

Machiko Hasegawa

長谷川町子

KODANSHA INTERNATIONAL
Tokyo • New York • London

Translation : Jules Young

Distributed in the United States by Kodansha America, Inc.,
575 Lexington Avenue, New York, N.Y. 10022, and in the United
Kingdom and continental Europe by Kodansha Europe Ltd.,
95 Aldwych, London WC2B 4JF.
Published by Kodansha International Ltd., 17-14 Otowa 1-
chome, Bunkyo-ku, Tokyo 112-8652, and Kodansha America, Inc.

First edition, 1997
ISBN 4-7700-2093-7
01 02 03 10 9 8 7 6

サザエさんと私

疎開先の福岡で西日本新聞社の夕刊紙から連載漫画を依頼されましたが家のすぐ裏が海だったので妹と砂浜に寝ころびながら案の骨組を考え、登場人物の名は皆海産物の中から選んでつけました。

　掲載しはじめたのは終戦の翌年からであります。当時は自給自足でしたから殆ど畑で暮らしました。案が浮ぶと手帳に書きとめておいて夜清書します。身心共に健康で気持も愉快なので、よく案が出ました。

　余り案をひねくっていると自分で良否が分からなくな

ります。で、原稿を出すたびに妹に検閲を願う。こういう関係上、なるべく姉妹仲よくすることにしています。

My Life with Sazae-san

It was when my family was evacuated to Fukuoka during the war that I was approached by the Nishi Nippon Newspaper Company to do a comic strip for its evening edition. We were living in a house which had the sea behind it, and I thought about the comic strip while lazing on the beach with my younger sister. This was how I came to give my characters names with some connection to the sea, such as the names of fish.

The comic strip was first published one year after the end of World War II. At that time, everyone was trying to be self-sufficient in food, so we used to spend a lot of time working in our vegetable garden. Each time I got an idea I would jot it down in my notebook and produce a finished version that night. I was healthy both in body and mind, and I enjoyed the routine so I was never short of ideas.

If I worked on an idea too long, however, I became unable to judge how good it was, so before sending any in I'd ask my younger sister to check them. For this rea-

東京に帰りたくてたまらず、新聞連載をひとまず打ち切って家探しに家族延べ六回上京往復のおむすびを総計百四十四個こしらえました。

　東京の一隅にやっと小さな家が買えて勇躍引越。これをテーマにして続サザエさんを再び連載。

　姉はサザエさんを出版することを思い立ちました。果断にして楽天家の彼女は一人で駆けまわって、とにかく本をこしらえてきました。

　本の型が大版なので、どの本屋も受付けず、返品の山をながめて姉は、青菜に塩をかけローラーでひいたようにぐんにゃりなってしまいました。けれども、やがて本を読んだ人達が言い伝えてくれて、だんだんサザエさんの出足がよくなって来ました。ファンからの手紙を読むのは楽しみです。

毎日郵便箱は自分で見に行きます。

son, I tried to be on good terms with my sister.

I was really homesick for Tokyo, so I stopped the series for a while and the whole family set off to look for a house there. In all we made six trips back and forth from Fukuoka, and for these we prepared a total of 144 riceballs!

Finally, we managed to buy a small house in a suburb of Tokyo and we moved back to the capital in high spirits. This move became one of my themes when I resumed the comic strip.

My elder sister got the idea of publishing the comic strip in book form. Determined and optimistic by character, she rushed around on her own, seeing to the production of the book.

Since the format of the book was large, none of the bookstores would stock it. Faced with piles of returns, my sister was so downcast she resembled a wilted flower. However, people who had read the comics began spreading the word around and sales slowly picked up. I really enjoyed receiving fan letters. Every day I would be the first to look in the post box.

案を考えると
き、何か噛まない
と精神統一が出来
ません。スルメや
コンブなど噛み
ます。よく胃を
悪くする。美容

上にもよくないと思うけど、なかなかやめられません。

出にくいから、勉強と名付けてちょいちょい寄席に行
きます。あまり材料にはならないけれど、はなし家の風格
が好きですから。

私はお風呂に入っているときよく案が出ます。のんび
りするせいでしょうか。長湯です。

姉は落ち着き
払っていて、アッ
と云うようなそ
こつをやります。
謝礼に「寸志」と
書くところを「一
寸」と書いて持っていったのです。こんな具合でちょいち
ょいギャグを提供してくれます。

姉は非常に人真似が上手です。姉が興じて実演を始め

ると、笑いころげて、
時の経つのを忘れ
ます。つい原稿の期
日も忘れます。

一番の脅威は牧
師さんにお祈りを
させられることで、

When I'm thinking of ideas, I find I cannot concentrate unless I'm chewing on something. Quite often it's dried

squid or kelp, which can give me a bad stomach. It's probably bad for my skin, too, but I just can't stop the habit.

Although I can't really afford the time, I sometimes go to watch comic storytellers under the pretext of research. Their stories are not much use to me, but I like their personalities.

I often get ideas in the bath, maybe because I'm so relaxed there. I always take long baths.

My elder sister is quite imperturbable, but she often makes astonishing mistakes. Once she even brought a thank-you card on which she'd written "latitude" instead

of "gratitude." From time to time she contributes some very funny jokes.

She is also a wonderful mimic and when she gets going, we roll around the floor in fits of laughter, forgetting all about the time. I even forget my deadlines.

The low point of my life is when the priest comes and makes us pray. Then I have to find a corner to hide in. I've even shut myself in the toilet for a record time of two hours. O ye of little faith…!

窮鼠の如く逃げ場を探します。一度など便所に立てこもること二時間の最高記録を出しました。

おゝ信仰うすき者よ。

　私は仕事がもりもりしたいのに、母がいらざる体の心配をして片っぱしから原稿の依頼を断ってしまいます。老いても子に従わぬ親であります。

長谷川町子

I want to work as much as I can, but my mother wor-
ries about my health, so
she refuses many of the
requests from publishers.
Although she's quite el-
derly now, she's still very
much in charge.

Machiko Hasegawa

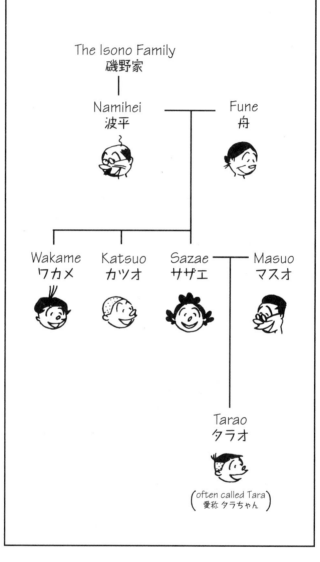

Sazae's Family Tree
サザエさんの家系図

The Isono Family
磯野家

Namihei
波平

Fune
舟

Wakame
ワカメ

Katsuo
カツオ

Sazae
サザエ

Masuo
マスオ

Tarao
タラオ

(often called Tara)
(愛称 タラちゃん)

ペチャクチャ
ガヤガヤ

アラッ
おそそうして！
すみません……

いいんですのよ

このおぞうきん
はいしゃくします

それ ボクの
ぼうしです！

フーン

アラなんですの？

いやお前がそんな
シワだらけに
なるとは思わな
かったよ

ヘエあたしだって
あなたがそんなに
ハゲるとは思わ
なかったわ

まァ にあいの
ふうふという
とこかナ

そういうとこで
しょうネ

アハハハハハ

アッ
又(また)やったな!!

ビスケットをエサ
につかまえて
やろう

それっ
てごたえが
あったぞ!

きのうのヤギの
おチチ とても
うすかったわ

ちっと いい
すぎたかしらネ

ワカメ
あとでいって
きをわるく
しないでネって

ウン

アノォー
きをわるく
しないでネ

いってきた

ハイ どうも
ありがとう

アラ
マスオさん
おべんとう
わすれたワ

あわてんぼね！

**あなた〜ッ
まって〜ェ**

あなた
おべんとうわす
れていったわヨ

や しっけい
しっけい

アッ
げんかんに
わすれた

エビ茶は
ハデかな？

とてもよく
おにあいですワ

どうだい

ハッハッハ

マア あなた！
ワカメには
大きすぎますわヨ

イヤ
ワカメの
じゃないんだ

こんなハデな
色！まさか
サザエのじゃ
ないでしょうネ

へんなかた！
いったいだれに
かってらしたの？

いただきもの
ですけど
おすそわけ

マアすみません

いつかもらった
カンヅメも
あけちゃい
ましょう

ウヘー
ごうかばんネ

たべかた
わかった？

コナせっけんと
ミガキずなだ

今日という
今日はぜったいに
お父さんは
ゆるさんぞ

アーン

もうゆるさんッ
おもてに出して
しまう！

ワーン

サザエちょっと
きなさい！

ワ～ン

きのきかん
やつだ 早く
とりなさんか！

かざりつけ
すっかりできた
のかい？

あなた！
すっかりできま
してよ！

ていきけんが
みつからない
んだ……

どれかの本に
はさんだらし
いんだよ……

---

* March 3 is Hina Matsuri (Doll Festival), when families with daughters display dolls representing the emperor and empress, court attendants, and musicians. Special food is eaten, and a sweet rice wine called shirozaké is drunk.

この子のパーマ
おねがいします

ちょっとイスを
とりかえます

どーぞ

あいすみません

いーえ

24年どの
しゅうにゅうです

おちてますよ

めっそうな！
だ、だんじて……
信じて下さい
私は……

いや
カバンですよ

モシモシ
女学校の時の
山田先生
ですか？

ハア山田です

でんわ口の先生の
おすがたが
まざまざと
目にみえるよう
ですワ！

なぜ きっちゃっ
たんだろう？

おじゃま
しますよー

どーぞ

とべい へいわし
せつのため ミス
日本をえらぶん
ですってよ
おくさん！

だめよ

だめだめだめ
だめだめ

だってこどもが
あったりしちゃ
いけないん
でしょ？

* On April 22, 1950, Fujiko Yamamoto was chosen as the first Miss Japan.

カツオ どこに
いくんですか

アノーともだちに
しゅくだいききに
いくんです

マア そこに
すわってごらん

こんなこったろう
とおもった

中華そば7ツ！

あそこがいいや！

中華そば７ツ
まだでしょうか

おまえ行け！
おまえ

あなたいって
くださいな

カツオは出来が
わるいから
気がひけるよ

かってなかたネ

だれがPTAの会
にいくの？

おかあさんです

よかった！
お父さんアダナ
をつけられそう
でボク き が
ひけるんだ

キャッキャッ
キャッ

なにしてんの！
たいていであが
んなさいッ!!

パパ やっと
おふろが
あきました

そうか

こどもをさきに
いれるな〜ッ

ワカメ
ミリン車を
かってきたぞ

ほんと？

だまされたネ
今日は
エイプリルフール
だよ

ワーンワーン
ワーン

ワーンワーン
ワーンワーン

あれ

ふーん
サクラもちか

サザエ！
なんです！
たったまま

おとなりのサム
が かぎつけて
きたわ

**ペチャペチャ
パクパク**

サザエ！
なんです！
もっとしずかに
おあがんなさい

オヤッ
こんなとこに
フミダイが？

アレ だれが
フミダイなんか
もちだしたの？

**アーン
アメダマが
たりなーい**

あした**エンソク**
だって！

エンソクには
おまえついてって
おくれよ

フーン
ついてって
やってもいいわ

おねえちゃんは？

おへや

ポーン

あんなふうで
こまって
しまいます

いいえェ

ママ
いってくるよ

あんなふうで……
ごはんは 6 パイも
いただきます

get through 〔食物など〕を平らげる

ウー

いまカジを
だしちゃ
おしめえだナ

まったくネエ

アッ
イスかわって
たんですか……
スミマセン

① こどもに
ときどきエイゴを
おしえてやって
いただけません？

あたくしで
よかったら

② イット・イズ・
ア・ハット！

それじゃァ
おまえ
はつおんが
おかしい

イット・イズ・
ア・ヘァット…
…ぼうしですネ

アラ ぼうしは
シャッポじゃな
いの？

わしが中学の
ころのは……

今日はいっさい
エイゴで
はなすことに
しましょう

ハイ

あのー……

だめだめッ
エイゴで！

アハハハハハ
だいぶへいこう
してるわネ

かってもらった

アッ

ふりだしたわ

トケイが
とまったんですが
なんじでしょう

みてきましょう

まだ7時半
だって！

あーよかった

おばあさん
サンマータイム
にしてあるん
でしょうネ

ハイちゃんと
1じかん
おくらして
あります

* On May 2, 1948, daylight-saving time was introduced, and clocks were put forward an hour during the summer. The system was abandoned in April 1952.

アラ また
わすれてった！

あなたーッ
まってー
わすれものよー

名を
よんで下さい
名を！

おそくなった

ワンワンワン

オウ!
かわいいやつ

あなた
しょうぼう自動車
どっちにいった？

ねーさん
あっちだ
あっちだ

なんじごろ
だろう？

あたいトケイ
みれるヨ

すまん！
みてきて
ちょうだい

12時よ！

ありがとう！
じゃあるいて
いくか

おばさん
こんちわ！

どうしたの？
二人ともうかな
いかおして？

どうしたんだい？

ちょうど
よかった!!
いまスイカを
きってるとこ
なのヨ!!

ナルホド

ここに足を
おのせに
なったら？

アイスミません

あなた
おべんとうに
いたしましょうか

そうしようか

しつれいします

どーぞ

お母さま
おかたを
もみましょう

すんまへんなァ

アア
ええきもち

マスオも
やさしいよめを
もってしあわせ
ものやなァ

ほんになァ

まだかい？

ああ
かたが
こっちゃった！

かも川<ruby>(かわ)</ruby>のながめ
すてきねー!

スミマしぇん
かがんで下<ruby>(くだ)</ruby>さい

ハチリ

ありがとう

いいえ

いつも
おあいしますネ

ハ おはよう
ございます

つぎの日

今日は
すみませんが
これを

おやすい
ごようです

つぎの日

コースをかえよう

ネエ……
はじめ なんて
かいたらいい?

そのご皆さま
おげんきですか
でいいだろう

それから?

大阪ではたいへん
おせわに
なりまして

ごらんのとおり
オッチョコチョイ
なので

こらッ
かいちゃった
じゃないのッ

月給袋

ふくを
とりかえろ！

ぼうやいくつ？

一つとこれだけ

マアおりこうネ
おかしあげるワ

これいりません

いま1年と
8ヶ月なのにおぼ
えないんです

出口

さては
デンシャの
中で……

なにを
とられたの
ですか？

ノミを
うつされた
らしいです

チワー
さかなやですが

だめ！
いらないわ

月給日<ruby>げっきゅうび</ruby>まで
しまらなきゃ

アラ
かわいい
小僧<ruby>こぞう</ruby>さんネ

せっかくだから
おサシミ五人まえ
もってらっしゃい

じきおとどけ
します

いいえ
げつまつで
いいの

ネエ！
おくさん……

おやすく
しますよ……

えー
ナベやヤカンの
しゅうぜん
ございませんか！

そうねェ……

まにあって
いますから
又おねがい
します！

アイスキャンデー
いかがですか！

セキリが
はやってる
からねェ

これ
だいじょうぶです

ハエが
とまらないよう
にやってる？

手も
せいけつに
してるでしょうネ

つゆどきは
きをつけ
なくちゃね

* July 7 is Tanabata, the Star Festival, which celebrates the legend of two lovers who can only meet once a year. On this day, people decorate branches of bamboo with colorful strips of paper, on which children write their wishes.

オーイ
アイスキャンデー

2本<ruby>本<rt>ほん</rt></ruby>くれ

まいどありがとう

アイス
キャンデー

ばかにあわてて
たべますねー

かないが
ベントウの
ハシをわすれ
たんですよ

よくにあうわヨ

お父<ruby>とう</ruby>さんが
なんて
おっしゃるかね

おかえり
なさいませ！

ただいま

あなた
いかがですか？

ウン
もうすぐごはんに
してくれ

おまえの
お父さんて人は
そういう人です!!

カツオ君！
がっこうが
おくれるよ

今日おやすみ
だものォ

アレ、
そうか……
日ようだっけ！

ありがたい！
ひとねむりする
かな

あなたカツオは
なつやすみ
なのヨ

イソノさんの
おたくは
どちらで？

アラ たくで
ございます！

わかおくさま
ですか、おはつに

ハ あたくし
サザエと
申します

アッ

パッ
シュッシュッ

あたいよ～

そうよニワトリを
ゆっくり**すなあび**
させるの！

どんなエイガが
いいの？

だんぜんピスト
ルのかつげきが
いいや

あたいも

おねーちゃん
もう
ころされた？

もう
かくとうは
すんだ？

もうすんだァ？

そこは見えない
のかい

こわいのよ

76

ワーワーワー
ワーワー
ワーワー

ふるはしーッ

パパ ぼうしを
かみきってるわヨ

ワハハハ
すっかりむちゅう
になったわい

モシモシ それは
わたしのボウシ
です

be carried away   我を忘れる
* On August 16, 1949, Hironoshin Furuhashi won the 1,500-meter freestyle race in Los Angeles with a world record time of 18 minutes 19 seconds.

ではおさきに

カサを
おわすれです

オ！そうそう

じゃ おさきに

母の日

もっとおこづかい
ためときゃ
よかった

MOTHER'S DAY

マア！
母さんに？
ありがとう

すんだら
かえしてネ
ボクの
おこづかいだけ
じゃないの

マア坊や!!
ありがとう
ありがとう

つぎはボクだよ

イカイヨウの方は
いかがですか？

タバコはとめら
れてるから母さ
んにみつかると
たいへんだ

またきた
はやくはやく！

かんがえてみれば
ワシも少しいいす
ぎた……

なかなおりをし
てこよう

---

on second thought(s)　よく考えると

③

④

アノ
まだでしょうか

もうじきです

まだなんで
しょうか

もうすぐ
ですから

どうもおまたせ
しました

ちょっと
もうすぐ
ですから……

アッ お母（かあ）さんに
いいつけるわよッ

お母さん
テーブルに
のりましたよッ

あれほどいって
わからないの！

チュー

アッ

エイッ

ブスッ

おもしろ
そうだねー

てつだおうか！

ブスッブスッ

エイッ

それはいま
はったのよッ！

イソノさん
でんぽー

でんぽーですよ
ーッ

ハーイただいま

おまたせしました

ハンコねがいます

③

④

ユウビン！

どこから？

<ruby>大阪<rt>おおさか</rt></ruby>のおじさん
からだよ

マア これじゃ
よっぽどタイフウ
がひどかったの
ネー

* On September 3, 1950, Typhoon Jane struck the Kansai area, causing great damage and claiming 539 lives.

いまモメンは 8
百円もするのヨ

クリーニング

サザエ、**ぶっか**
をつりあげるよ
うなことばはつ
つしみなさい！

しきふを
こがしちゃった
のよ

**あんた、いま
モメン9百円は
するわヨ**

* When the Korean War broke out in 1950, it triggered a manufacturing boom in Japan, particularly in the metals, machinery, and textiles sectors.

お父さーん
お母さーん
はやくおいでー

はやくってば〜

カツオー その
電車じゃない
のよー

• 93

オヤ
かぎが
かかっている

かえるようす
もない……
なんとか
あかないかな

**ガチャガチャ
ガチャ**

ガチャガチャ
ガチャガチャ

③

やっぱり
このカギも
あんぜんじゃ
ないわ

④

ちょっとせなかを
まっすぐに
して！

カツオ
おつかいに
いって

ハーイ

カツオ
アイロン！

ハーイ

こどもに
いいのが
できまして

ふできで
ございます

右がわを
とおって
下さーい

交通週間

アッ 車は
左ですよ！

車は
左ですよ〜ッ

まいごなんだね

しんねん号だ

マア
うれしい！

めずらしいことも
あるもんだネ

ぬけ毛を
ふせぐ方法

それから
おコーチャと
くだものネ

よしよし

ジャ〜

サザエ
ちょっと……

くっつい
ちゃったんだよ

ぶきような人ね
ドレドレ

あそこだよ

父兄の二人三脚

あなたと
くめば**1とう**
ですわ！

そらイチニ

イチニ

おしっこ

手洗所

二人でいこうか？

**ヒソヒソ
ヒソヒソ**

**アーンあたいも
いっしょに
いくんだ～**

じゃおいでよ

わんぱくものめ
けしからんッ

どこにいくの？

でんしゃに
のって
おつかいだ！

どこまでいくの？

でんしゃに
のっておつかい！

どこまでいくの？

でんしゃに
のっておつかい！

---

go on an errand 使いに行く

そんなわけで
今月から**ヤチン**を
あげていただき
ます

ハァ……

きょねんより
あがりましたよ

フーン……

げっきゅうが
すこしあがったよ

エッ!

ゆううつね

Hey! That stray cat's making for the kitchen!

アッ
のらネコが
だいどころに！

SCRAM!

こらーッ

やぬしさん
総(そう)いればだネ

ちがうわ
じぶんのはよ

いや たしかに
いればだよ

ちがうってば！
じゃ今日(きょう)くるから
みてらっしゃい

あいにくニクが
みあたりません
ので

けっこうです

ハ〜

そらごらん

ほんとだ

---

* For official documents, signatures are rarely used in Japan. Instead, personal seals are stamped on documents after being inked on a pad of red ink.

ごめん下（くだ）さいまし

ハーイただいま

てつだって！

ではごめん
下さいまし

フスマやさんだ

しょうち
しました！

ボーナス
もらった？

ここだよ

遺失係

シャケを
おとしたんです

大きさは
どのくらいですか

目の下
このくらいは
ありました

お父さん！

また **つり**の
クセが出た

じつはこの
くらいです……

特価大奉仕

なんのうりだし
だった？

サァ？……

じゃあ わしが
みてきましょう

ネクタイ
シャツ

なんのうりだし
でしたか？

サァ？……

くれのかいものに
いかなきゃ

あれでよく
おつかいが
できること

おトソ
かってきた?

ウン

アッ
わすれた

* *Otoso* is a very weak saké that is drunk by the whole family at New Year's in a toast for good health and long life.

ふるいんですから

どうぞ
おきがねなく

ではไはいしゃく
いたします

チェッ……
ひらかねえ……

アッ……
ひらいた！

**カサをたたんで
ください！**

だめだ……

① YO SE

寄席

YO SE

貞豆柳
村奴ひ笑
さ馬ん生
ん

TODAY'S PROGRAM

SE*

② The performers are really scatter-brained, aren't they?

That's their charm!

BUS

らくごに
でてくる人
そそっかしい
のネ〜

そこがあいきょう
があるよ

---

* A *yose* is a small theater featuring comic storytelling (*rakugo*) and comic dialogues (*manzai*).

③

アラ！
これなにかしら？

④

げそくフダだ

* In a yose theater, the audience sits on cushions on the tatami-matted floor, so all shoes are checked in at the entrance in return for slippers.

Fidget
Fidget

ウロウロウロ

ウロウロウロウロ

アノ おことわり
しておきますけど
私主人もコドモも
あるんですの！

ボクのボウシ
しいてますけど

たいへんだ！
メガネが
ない……

そうだ！ ズボン
のポケットだ
あ〜よかった

オーイ
ぼくのズボン

ねおししてあげ
てますワ

ネ〜おやすみが
つづくから
つれてってよ〜ゥ

まァ**そうだんし**
てみなきゃネ

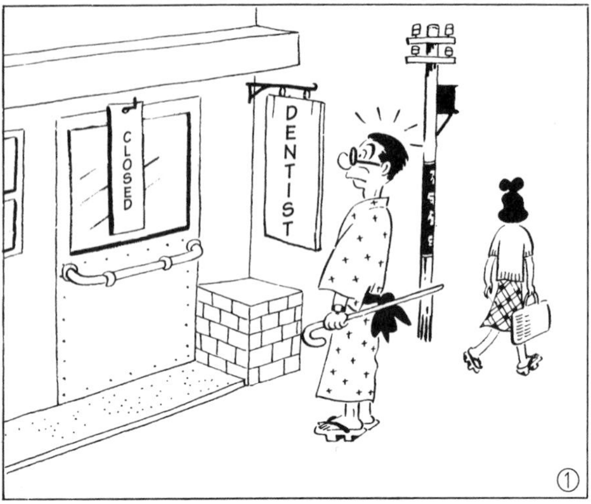

歯科院（しかいん）

本日休診（ほんじつきゅうしん）

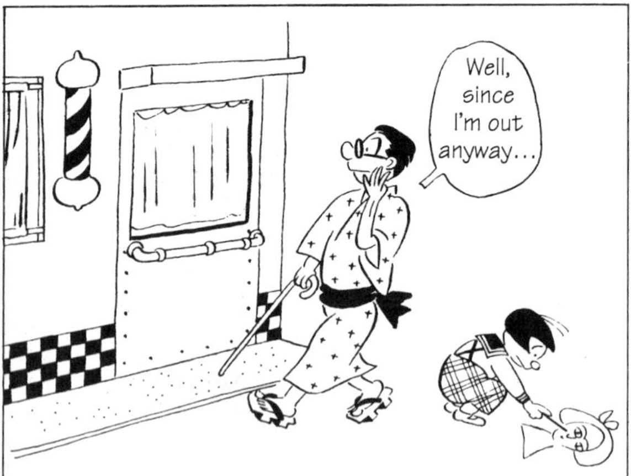

でてきた
ついでだ

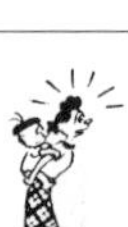

どーぞ

だめだよ
お兄ちゃんの
ながぐつ
はいちゃ！

アラ
いいじゃないの、
こどもはあんな
ことがして
みたいのよ

なんだハイヒール
もはいてるのか

貸ポート

6ばんのボートは
もう時間すぎたぜ

あ、手を
ふってるよ！

手をふって
かえそうよ！

しょうが
ねえなァ～

コラッ
ぎょうぎの
わるい！
きをつけなさいッ

くちごたえを
しなかったのは
かんしんでした

くちにいっぱい
モグモグモグ
はいってるん
だもの
モグモグモグ

会社で弓道部が
できたんだ

その年になって
あなた
オホホホホホホ
よしたがぶじよ

しっけいな
ばあさんだ

ヒュー

まァ
おみごと！

アラ
あなたの
夏ふくの
ポケットになにか
はいってるわ

へーなにが

ももいろの
ハンカチーフよ

そ、そ、そ、そ、
そ、そ、
それは…………

あたしのよ！
きょねんから
さがしてたの

お父さん
イタチ山だよ！

スナップを1枚
どうぞ

ハイハイ

イタチ山を
とってきたぞ！

カーン

ワー
ワーッ
ワー

お父さん
せきがなく
なったよ

あなた
おいしい？

ウン

まずい？

ウン

あのくせだけは
やめてもらわ
なきゃ

③

④

やっとおてんきに

なりましたわねえ

おそかった

Sis, you stink!

アレッ
おねーさんったら
くさいよ

There's a guest, so say it over here.

お客<ruby>きゃく</ruby>さまだから
こっちにきて
言<ruby>い</ruby>ってよー

なーんだ
ヌカミソか

カツオ それを
ここでもうーぺん
いってよ

---

* Rice-bran paste (*nuka miso*) is commonly used for pickling cucumbers and daikon, but it has an unpleasant smell.

もうかえって
よろしい

カツオくん
まってたよ

まってて
くれたの！
ありがとう

みんなカサが
ないんだ

ヤッコさん
おって〜

じぶんのことは
じぶんで
やること！

ドレ
やってあげ
ようかね

とおしてちょう
だいよ

ウン

サ のこりは
あけてください！

いえ
もうだめです
ほんとに

君のような
若い人が
いくじのない！

いエ
かんべんして
下さい

いやボクはだめ
こんなに赤<ruby>赤<rt>あか</rt></ruby>く
なっちゃって

マアマア
いいでしょう
おあけなさい

① このバケツ
いるわよ！

② ひどいやッ
せっかくお魚（さかな）を
いれといたのに
....

Excuse me!
Wakame!
Wakame!

ごめんください
ワカメ！
ワカメ！

Oh, you're eating here!

マァ
ごはんなんか
いただいて

あ うちのトリ

ええ
いつもうちに
きてますワ

あいすみません

せまいところで
ございますが
ど〜ぞ

ハ、では

マァマァ
とりちらして

イヤイヤ
おかまいなく

ちょっと
かたづけます

フースカ
フースカ

put away　片付ける

Stand still!

じっとして
いなさい

Which pattern...?

まような ァ……

Can you help me?

もしもし
ちょっと！

How's this one? Does it look nice?

これどうでしょう
にあいます
かなァ

きれいだぞ

ステキ
ステキ

パチパチパチ
パチパチパチ

バカッ いま
お父さんが
ぶっつかったんだ

* In August 1948, the manufacture and sale of fireworks was allowed for the first time since the war.

なんですの

ヘチマですの
けしょう水を
とろうと思って

ぜひおすすめ
しますわ

そんなに
いいんですの

ええ
私まいとし
つけてますのよ

ヘチマやめたのか

ええ

ヒソヒソ
ヒソヒソ

ヒソヒソヒソ
ヒソヒソヒソ

アラ へんな人
ですわね〜

おくさま
まいりましょう
よッ

ヤレヤレやっと
うちにはいれた

ワカメっ
いけませんよっ

こらッ

だいじょうぶ！
つかまえてフクを
きせたぞー

だめよパパ行水を
いやがってにげ
まわってるのよ

サザエ きねんに
1枚うつしてくれ

ぜひたのみます

わらってわらって
ハイ！

パチリ

できてて？

できております
現像

まずかった！

あおいであげよう

じゃァボク
おねーさんを
あおいであげよう

じゃあたしは
お母さんを
あおいで
あげよう

こんやは
おスシですよ

*After being cooked, the rice for sushi is mixed with vinegar and cooled with a fan until it can be handled easily.

あれ〜

あれ〜

またこんどね

またこんど？

あぁ
あじなんか
しやしない

アイススマック

グーグー

ウ〜ン

ねーェ
おやつゥ〜

そうだ
あそびに
きてたんだ

はやくよび
かえさなきゃ

おくさま！
ハンドバッグを
おわすれですよ！

アラたいへん！
どうもそそっか
しいもんですから

オホホ……
おあつう
ございますから

ついせんも
こんなことが
ございましてネ
ペラペラペラ
ペラペラペラ

オホホ……

おくさま！
ハンドバッグ！

お父さん
おそいわネ〜

つりきちがい
だから

ただいまー

つれまして？

魚は
つれなかったが
川におぼれた
こどもをたすけ
てね

マア！
どのくらいの
こども？

そうさネ
まずこの位は
あったよ

be crazy about　に夢中である

● 164

まけたらだめよ

いちにっさん!!

プーッ

かったかった!

ばしょを
かわってよ

いいわ
まけおしみネ

対訳 サザエさん ②
The Wonderful World of Sazae-san

1997年 4 月22日　第 1 刷発行
2001年 1 月23日　第 6 刷発行

著　者　　長谷川町子
訳　者　　ジュールス・ヤング
編集協力　株式会社 C·A·L
発行者　　野間佐和子
発行所　　講談社インターナショナル株式会社
　　　　　〒112-8652　東京都文京区音羽 1-17-14
　　　　　電話：03-3944-6493（編集部）
　　　　　　　　03-3944-6492（業務部・営業部）
印刷·製本所　川口印刷工業株式会社

ISBN 4-7700-2093-7